¡ENCUÉNTRAME SI PUEDES!

MARÍA MARTÍN / ILEANA LOTERSZTAIN

ILUSTRACIONES DE EUGENIA NOBATI

LAS ARTES DEL CAMUFLAJE

NO SON UN CAMBIO DE TRAJE,

SON TANTAS Y TAN CURIOSAS

QUE INSPIRAN RIMAS GRACIOSAS.

**NADA POR AQUÍ,
NADA POR ALLÁ...**

Muchos animales cuentan con diferentes estrategias que les permiten confundirse con el lugar donde viven. Gracias a esto, se esconden sin esconderse, haciéndose "invisibles".

Así camuflados, los animales corren menos riesgos de transformarse en el bocado de sus depredadores. Y si son cazadores, pueden acercarse sigilosamente a sus presas y así aumentar la chance de atraparlas y luego darse un buen banquete.

¡PREPÁRATE PARA CONOCER LOS CAMUFLAJES MÁS INCREÍBLES!

SIEMPRE ESTÁ MUY ELEGANTE,
A CUALQUIER HORA O INSTANTE.
¿CÓMO ES QUE TAN BIEN VESTIDA
PASA DESAPERCIBIDA?

El abedul suele tener la corteza cubierta de unos líquenes grisáceos que le dan un aspecto moteado. La **MARIPOSA DEL ABEDUL**, que se la llama así porque suele posarse sobre este árbol durante el día, tiene las alas blancuzcas con manchas oscuras, muy parecidas a como luce la corteza del abedul. ¿Dónde estás, mariposa, que no te encuentro?

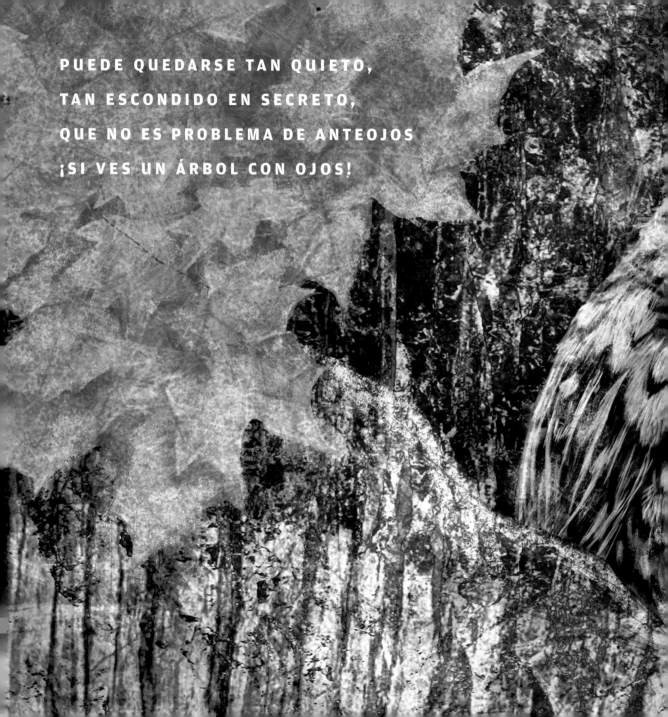

PUEDE QUEDARSE TAN QUIETO,
TAN ESCONDIDO EN SECRETO,
QUE NO ES PROBLEMA DE ANTEOJOS
¡SI VES UN ÁRBOL CON OJOS!

Durante la noche, el **BÚHO** sale a cazar ratones, lagartijas, arañas y otros animalitos que andan por ahí. Cuando amanece, vuelve a su guarida, que suele estar en algún árbol cuyo tronco tiene un color parecido al de sus plumas. Una vez que se acomoda, es capaz de inflarse o desinflarse y, de este modo, lograr un ajuste casi perfecto con las líneas de la corteza. Así, puede descansar a salvo de águilas, halcones y serpientes...

SI LA COSA SE COMPLICA,
SU NOMBRE TODO LO EXPLICA,
ENTRE LAS PLANTAS HABITA
¡Y PARECE UNA RAMITA!

El cuerpo del **INSECTO PALO** se parece, justamente, a un palito, y sus patas son como ramitas. Además, tiene la forma y el color de la planta en la que vive y de la cual se alimenta, así que es casi imposible encontrarlo. Cuando hay brisa, aprovecha el movimiento de las hojas para salir a buscar alimento, sin llamar la atención de sus depredadores con su propio movimiento. ¡Un aplauso para el insecto palo!

POR SU FORMA Y SU COLOR
PARECE UNA HERMOSA FLOR.
CUALQUIER BICHO DISTRAÍDO
¡PARA ELLA ES PAN COMIDO!

Con sus hermosos colores, sus patas con forma de pétalo y su cuerpo tan particular, la **MANTIS ORQUÍDEA** puede permanecer entre las bellas flores sin ser descubierta por sus depredadores. Además, con su perfecto disfraz de orquídea, espera muy quieta que algún insecto se aproxime y, cuando lo tiene a tiro, lo atrapa con sus patas delanteras. ¡Ñam, ñam!

SE ACLARA CUANDO AMANECE,
POR LA TARDE, SE OSCURECE,
Y SUCEDE ALGO INCREÍBLE:
¡SE VUELVE CASI INVISIBLE!

Durante las horas de sol, el **CAMALEÓN** luce tonalidades claras que, además de camuflarlo con el entorno, reflejan la luz y lo mantienen fresco. Por el contrario, cuando baja el sol, la piel se oscurece y así el camaleón se confunde con las sombras. Esto le permite, también, absorber la poca luz que llega y calentarse para soportar el frío de la noche. Además, el camaleón cambia el color de su piel para comunicar si está asustado, si va a pelear, si busca pareja... ¿Y tú, de qué color estás hoy?

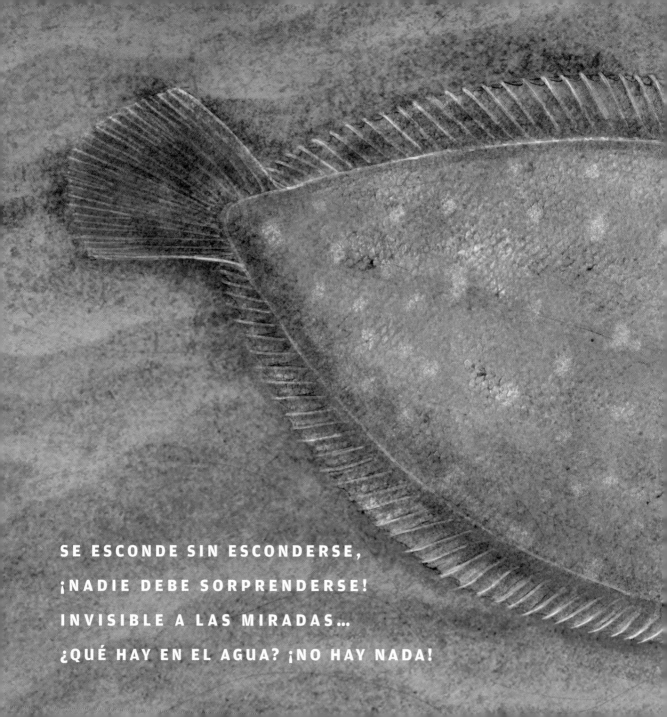

SE ESCONDE SIN ESCONDERSE,
¡NADIE DEBE SORPRENDERSE!
INVISIBLE A LAS MIRADAS…
¿QUÉ HAY EN EL AGUA? ¡NO HAY NADA!

El **LENGUADO** es un pez plano que vive en el fondo del mar, apoyado sobre uno de sus lados. Este lado, que nunca se ve, es blanco, mientras que el que queda a la vista puede ajustarse al color del suelo rápidamente. Si el lenguado está apoyado sobre arena, adopta un color marrón claro; si se encuentra en un lugar con piedras, luce una trama a pintitas que se confunde con el aspecto del fondo. Por esta razón, tanto a sus presas como a sus depredadores les resulta muy difícil advertir su presencia.

CADA VEZ QUE LO PRECISA,
CON PIEL ARRUGADA O LISA,
PUEDE SER CORAL O ROCA,
¡PERO CON OJOS Y BOCA!

El **PULPO** es capaz de exhibir una gran gama de colores y una enorme variedad de diseños: rayas, manchas, lunares... Además, sobre su piel tiene pequeñas montañitas que le permiten cambiar su textura y lucir casi idéntico a los corales, las algas o las rocas sobre las que se apoya. Y eso no es todo: también es capaz de adoptar posturas que lo hacen parecerse a un trozo de coral, a una piedra o, incluso, a algún otro animal. ¡Qué campeón!

CUANDO AVANZA ES TAN DISCRETO
QUE HASTA PARECE ESTAR QUIETO.
SI VES QUE TE SIGUE UN TRONCO,
¡GRITA HASTA QUEDARTE RONCO!

Con sus tonos verdes y marrones y esas manchas muy oscuras, el COCODRILO queda oculto entre la vegetación. Cuando sale a cazar, se adentra en el agua y avanza lentamente, sin provocar ninguna turbulencia. Los ojos y los orificios nasales, ubicados bien arriba, le permiten sumergirse casi por completo. De este modo, el cocodrilo aparenta ser un inofensivo tronco a la deriva. Una vez que tiene su presa a tiro, ¡zas!, la aferra con sus fuertes mandíbulas y la hunde.

Textos en verso: María Martín
Textos informativos: Ileana Lotersztain
Ilustraciones: Eugenia Nobati
Corrección: Patricio Fontana
Edición: Carla Baredes
Diseño: Javier Basile

©ediciones iamiqué
info@iamique.com.ar | www.iamique.com.ar

Primera edición: enero de 2019
Tirada: 3000 ejemplares
I.S.B.N.: 978-987-4444-18-9
Queda hecho el depósito que establece la ley 11.723
Impreso en Argentina.

Martín, María
¡Encuéntrame si puedes! / María Martín ; Ileana Lotersztain ;
ilustrado por Eugenia Nobati. - 1a ed ilustrada. -
Ciudad Autónoma de Buenos Aires : Iamiqué, 2019.
24 p. : il. ; 19 x 19 cm. - (pequeciencia)

ISBN 978-987-4444-18-9

1. Ciencias para Niños. 2. Zoología. I. Lotersztain, Ileana II.
Nobati, Eugenia, ilus. III. Título.
CDD 590

ESTE LIBRO SE IMPRIMIÓ EN ENERO DE 2019
EN GRANCHAROFF IMPRESORES,
TAPALQUÉ 5868, BUENOS AIRES, ARGENTINA.